Autoportrait, 1634
Huile sur toile,
67x54 cm
Florence, Musée
des Offices

REMBRANDT

"Dans la profondeur de la nature il y a des choses que seul ce pêcheur de perles a découvertes"
(Eugène Fromentin)

Le 15 juillet 1606, Rembrandt Harmenszoon van Rijn naît dans un moulin de Leyde, sur les bords du Rhin, cinquième des six enfants du meunier Harmen Gerritz van Rijn et de Neeltgen van Zuytbrouck, fille de boulanger. Sa famille est modeste, mais en mesure de nourrir sans problème sa nombreuse progéniture dans une Hollande qui commence à prospérer avec la fin de la guerre d'Indépendance contre l'Espagne et la proclamation de l'Union d'Utretch (1581) sanctionnant la séparation des sept provinces protestantes des dix provinces méridionales de foi catholique demeurant sous le joug espagnol. La paix et l'indépendance favorisent le commerce, l'industrie, la culture, le goût pour les belles choses, dans une société faite surtout de grands, moyens et petits bourgeois, de banquiers, de marchands, de petits propriétaires. On est loin de l'abysse qui sépare les couches sociales en France, en Italie ou en Espagne. Il est assez logique que dans une société de ce genre, l'art soit une activité réglementée et "compétitive" sur le marché.

La demande de tableaux de petit format aux sujets agréables alimente les ateliers et garantit des gains

La mère et le père de Rembrandt dans deux gravures du maître, datant respectivement de 1628 (New York, Metropolitan Museum of Art) et de 1630 (Amsterdam, Rijksmuseum).

honnêtes aux peintres, aux dessinateurs, aux graveurs et aux marchands de tableaux et d'estampes, dont l'activité est réglée et protégée par la Guilde de Saint Luc, la corporation professionnelle à laquelle on est contraint d'appartenir pour pouvoir exercer en Hollande.

Le jeune Rembrandt se montre plus vif que ses frères, aussi ses parents n'hésitent-ils pas à l'envoyer à l'école. En 1620, il fréquente pendant quelques mois la fameuse université de Leyde (Descartes y enseignera en 1630), mais préfère décidément la peinture. Sa famille le fait alors entrer dans l'atelier de Jacob Isaaksz van Swanenburg, un peintre de paysages assez médiocre, qui a fait, comme tant d'autres, son voyage d'Italie. Dans l'atelier de van Swanenburg, aux dires de l'un de ses contemporains, Rembrandt "fit de tels progrès que les experts en art en étaient très étonnés, et il était possible de voir qu'il allait devenir un peintre extraordinaire". En effet, le modeste Swanenburg ne lui suffit plus: en 1624, Rembrandt entre dans l'atelier de Pieter Lastman à Amsterdam. Lastman est un artiste d'une vigueur remarquable, spécialisé dans la peinture de grandes scènes à thème religieux ou civil, savamment construi-

Saskia au grand chapeau de paille, 1633 - Dessin à la pointe d'argent sur vélin - Berlin, Staatliche Museen, Kupferstichkabinett.

tes et éclairées de couleurs vives et audacieuses apprises en Italie. Il fait partie du courant inspiré par le Caravage et sait faire trésor des nouveautés apportées par le maître italien: son usage de l'ombre et de la lumière, le réalisme de la représentation, l'intensité psychologique qu'il donne aux personnages. Rembrandt reste un an

à peine chez Lastman avant de retourner à Leyde pour y ouvrir un atelier avec son ami Jan Lievens. Il est maître à dix-huit ans, un record difficilement égalé! Un maître reconnu comme le prouve le nombre d'élèves qui entrent dans son atelier; entre autres, Gerrit Dou qui, après la mort de Rembrandt, sera considéré comme plus grand que son maître, ce qui poussera certains à falsifier de vrais Rembrandt avec la signature de Dou...

En 1631, Rembrandt entre en rapport avec le marchand d'Amsterdam Endrik van Uylenburch, qui lui commande plusieurs tableaux. Un an plus tard, en 1632, le jeune maître se transfère dans la capitale où il ouvre un nouvel atelier. Il débute triomphalement: le fameux anatomiste de l'Université, le docteur Tulp, lui commande un portrait de groupe avec ses élèves. C'est ainsi qu'il peint sa célèbre *Leçon d'anatomie du docteur Tulp*, qui lui sert de carte de visite pour acquérir de nouveaux et riches clients, dont le *Stathouder* Frédéric Henri d'Orange, qui de 1634 à 1639 lui commande cinq tableaux sur la Passion. Rembrandt coûte déjà cher: il demande au *Stathouder* "au moins 1200 florins" pour chaque toile (un couple de bourgeois vit avec 500 florins par an en moyenne). Il en obtiendra 600, ce qui est déjà une fort jolie somme.

Sa vie privée est elle aussi satisfaisante: en 1634, il épouse Saskia van Uylenburch, nièce de son marchand, qui lui amène une belle dot et lui porte une grande affection, comme on peut le voir dans les nombreux tableaux où l'artiste la représente sous son jour naturel ou sous forme d'allégorie. Ils auront quatre enfants, dont un seul survivra, Titus, né en 1641, date qui semble marquer la fin de la période de chance de Rembrandt.

En effet, Saskia meurt en 1642. Elle lui laisse sa dot à condition qu'il ne se remarie pas. Titus est confié à une gouvernante efficace, mais de caractère difficile, Geertje Dircks, qui fait la loi et avance des droits sur son patron, au point de le dénoncer pour rupture de promesse matrimoniale lorsqu'il la congédie en 1648. Les affaires aussi vont moins bien: ce n'est pas le travail qui manque, mais l'argent s'évapore en achats inconsidérés (une grande maison de maître en 1639, par exemple), nourris par sa manie de collectionner qui le pousse à acheter un objet tous les jours (étoffes, armes, œuvres d'art, meubles, bijoux...). Il touche 100 florins pour chacun des personnages (il y en a seize) de *La ronde de nuit* (1642); le *Stathouder* lui donne 2400 florins pour deux tableaux en 1646; cependant les choses ne font qu'empirer. Pourtant la jeune Hendrickje Stoffels est entrée dans sa vie: elle est sa compagne, son modèle et la gouvernante de son fils. Mais on lui intente un procès pour immoralité car il vit *more uxorio* avec elle. En 1654, Hendrickje met au monde une petite fille prénommée Cornelia. En 1656, couvert de dettes, il demande que ses biens soient mis aux enchères. Hendrickje et Titus le sauvent du désastre en formant une société commerciale chargée de l'achat et de la vente de ses œuvres, empêchant ainsi que les créditeurs ne s'en emparent. Ils vendent la grande maison et tous trois vont habiter dans un endroit plus modeste mais agréable, où Rembrandt peut travailler en paix. Cela ne va pas durer longtemps: Hendrickje meurt en 1663, et Titus en 1668, alors qu'il vient à peine de se marier. Rembrandt reste seul avec la petite Cornelia et une servante.

Les clients se font de plus en plus rares et les élèves ne frappent plus à sa porte. Son dernier succès public est *La leçon d'anatomie du docteur Joan Deyman* de 1656. *Le serment*

et le détruit: seule la partie centrale sera sauvée.

A propos du Rembrandt dernière manière, Andriès Piels écrit en 1681: " Quelle perte pour l'art que la main d'un tel maître n'ait pas usé de sa vigueur naturelle à de meilleures fins...A force de ne vouloir adhérer à aucun principe, à aucune règle...ses aberrations furent nombreuses...".

Douze ans après sa mort, donc, on n'hésitait pas à utiliser un mot comme "aberrations" pour définir l'œuvre de Rembrandt van Rijn. Il faudra attendre les grands visionnaires et les romantiques du XIXe siècle - Goya, Delacroix, Daumier - pour redécouvrir sa grandeur.

Rembrandt

Rembrandt dans son atelier, 1655-56 - Dessin à la plume et au crayon - Amsterdam, Rembrandthuis. Ce croquis est l'un des autoportraits les plus spontanés du peintre alors âgé de cinquante ans.

Vue d'Amsterdam du Nord-Ouest, 1640 environ - Eau-forte - Amsterdam, Rijksmuseum.

des Bataves (ou *La Conjuration de Claudius Civilus*) de 1661, commandé par la Mairie d'Amsterdam, est même refusé par ses commanditaires: les citoyens d'Amsterdam ne voient pas comment ce ramassis de barbares ivres, traités en larges touches appliquées au couteau, sans "decorum" ni unité de couleur, peut exalter un moment glorieux de l'histoire de leur mère-patrie. Rembrandt reprend son tableau

Le jour de sa mort, le 4 octobre 1669, il est seul et presque oublié; sur son chevalet, une toile inachevée: *Siméon et l'enfant Jesus*. Méditation ultime et testament en image puisque la scène traduit exactement les paroles du vieux Siméon lorsqu'il reconnaît dans l'enfant assis sur ses genoux le futur messie: "Oh Seigneur, laisse maintenant ton serviteur mourir en paix, car mes yeux ont vu ton salut".

LA LEÇON D'ANATOMIE DU DÓCTEUR TULP

1632 - Huile sur toile, 169,5x216,5 cm
La Haye, Mauristshuis

1628

Autoportrait
au nez large
- Eau-forte -
Amsterdam,
Rijksmuseum

Le tableau représente un moment important de l'histoire du "portrait de groupe", qui est un genre caractéristique de la peinture hollandaise. Les associations, les groupes, les compagnies avaient l'habitude de commander aux artistes des tableaux représentant leurs membres, sans autre but que celui d'être immortalisés tous ensemble. Avec Rembrandt, la conception du portrait collectif se transforme de façon décisive: il ne s'agit plus d'une galerie stéréotypée de portraits en pose, mais d'une vraie scène d'action où les personnages deviennent des protagonistes. Dans *La leçon d'anatomie du docteur Tulp*, Rembrandt organise les sept personnages plus le docteur selon un scenario dramatique où chacun participe avec une importance et un rôle particuliers dans l'unité psychologique qui préside à la composition de l'ensemble.
Le docteur Tulp exécute la dissection du bras d'un cadavre, entouré de ses assistants, intéressés non seulement par la leçon pratique, mais aussi par le texte d'anatomie de Vésale, placé au premier plan à droite.

Le tableau de Rembrandt qui se trouve à la page suivante est composé selon un schéma géométrique qui détermine la position des personnages en divisant les côtés verticaux du rectangle en trois parties et en les reliant avec les diagonales, et en traçant les diagonales, de gauche à droite, des deux rectangles obtenus en traçant l'axe vertical.

Thomas De Keyser: La leçon d'anatomie du docteur Sebastiaen Eghertsz, 1619 - Huile sur toile, 135x186 cm - Amsterdam, Rijksmuseum.
La toile de Keyser est un exemple typique de la façon traditionnelle de traiter les "portraits collectifs" de l'époque: la disposition est symétrique, par groupes de trois, les personnages sont tous représentés dans la même position, à droite et à gauche du squelette.

Connaissant la personnalité et les
intentions de l'auteur, il est intéressant
d'observer les personnages et, en
particulier, de suivre leurs regards.
Si on l'on observe bien, on remarque
que deux personnages seulement
(celui avec la veste rouge et celui qui
se trouve au dessus de lui) suivent la
dissection, en se penchant sur le
cadavre; le premier, en partant de la
gauche, est tourné vers le docteur,
tandis que celui qui est à ses côtés
tourne la tête vers l'observateur; le
personnage du haut est, lui,
franchement tourné vers l'observateur
qu'il invite de son regard à entrer
dans la scène; il contribue aussi à
créer une impression d'espace entre
le fond du tableau et celui qui le
regarde. Les deux derniers, enfin,
semblent plus intéressés par le Traité
que par l'anatomie du bras où le
docteur Tulp plonge ses ciseaux.
Au delà de la nouveauté du concept et
donc de la composition, on est frappé
ici par le rôle de la lumière qui sort les
visages des protagonistes de l'ombre
(ils ressortent avec leurs expressions
sur les grands cols blancs), par les
mains du docteur Tulp en train
d'expliquer, par la pâleur du cadavre
disposé en diagonale, par le gros
ouvrage ouvert à ses pieds.
Les contrastes entre la lumière et
l'ombre sont encore denses ici, plutôt
durs, pas encore accordés et adoucis
par les variations et les nuances du
clair-obscur de la maturité de l'artiste.

*Rembrandt: La leçon d'anatomie du docteur Joan
Deyman, 1656 - Détail - Huile sur toile, 100x134 cm
- Amsterdam, Rijksmuseum.
Ce tableau, commandé par la Guilde des
Chirurgiens d'Amsterdam, fut abîmé dans un incendie
et il ne reste que ce fragment avec le cadavre auquel
on a enlevé la boîte crânienne, qui se trouve dans les
mains de l'homme à gauche, et les mains du
chirurgien. La force dramatique et le raccourci
perspectif du cadavre font penser au Christ de
Mantegna.*

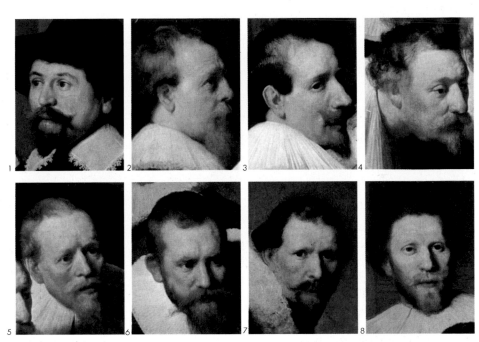

*Dans le tableau à page suivante, tandis que le
docteur Tulp (1) donne sa leçon d'anatomie, le
regard et l'attention des autres personnages
varient: le premier à gauche (2) regarde le
docteur, le deuxième (3) semble s'adresser à
l'observateur du tableau; l'un des deux au centre*
*(4) observe le cadavre tandis que l'autre (5) regarde
plutôt vers le gros livre de Vésale; des trois
personnages qui dominent le groupe, le premier (6)
semble attentif à l'anatomie, le second (7), avec des
feuilles en main, s'intéresse au livre tandis que le
dernier (8), au fond, regarde lui aussi l'observateur.*

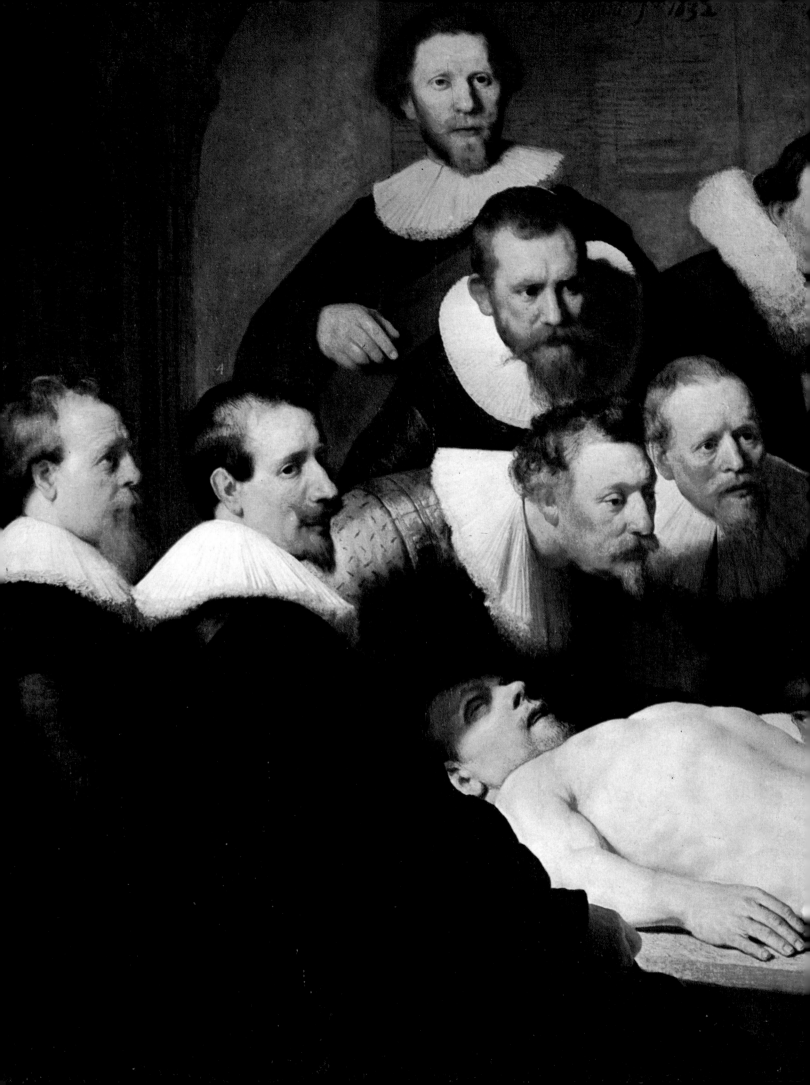

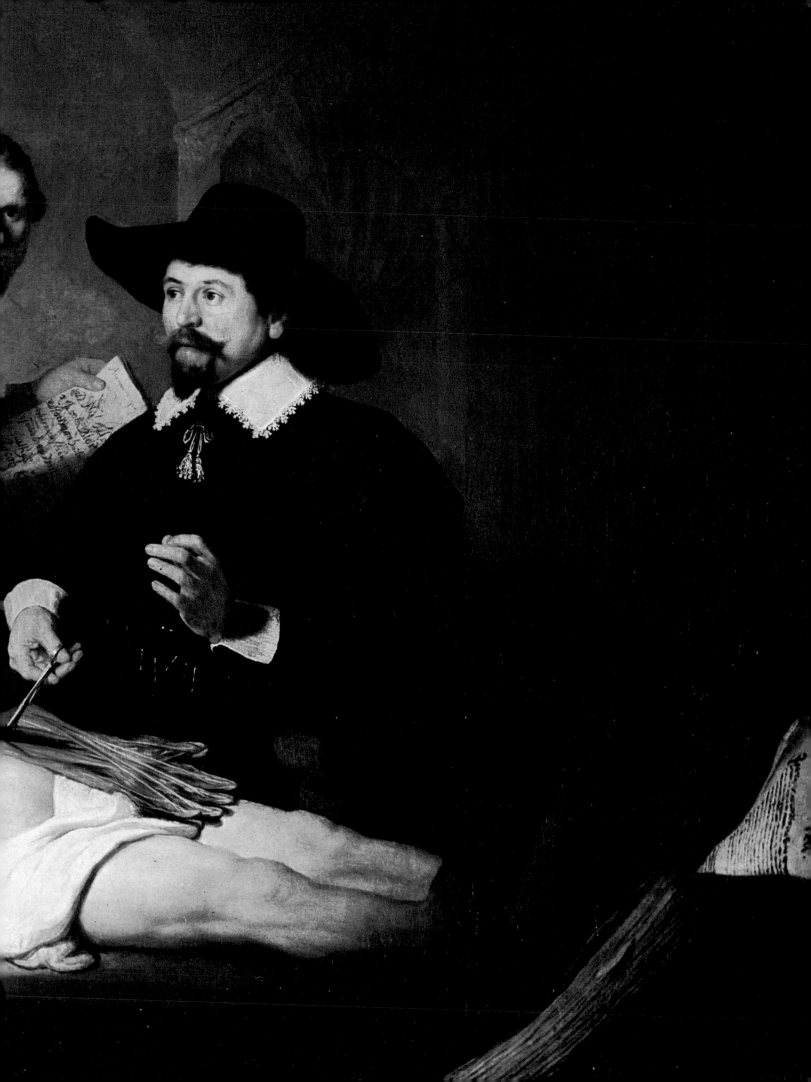

1630

Autoportrait à la
bouche ouverte
- Eau-forte -
Amsterdam,
Rijksmuseum

*Portrait de Saskia à
l'œillet, 1641 - Huile sur
toile, 98,5 x 82,5 cm -
Dresde, Staatliche
Kunstsammlungen,
Gemäldegalerie.
La fréquence avec
laquelle Rembrandt
dessine et peint les êtres
qui lui sont chers, sa
femme et son fils Titus,
et plus tard sa seconde
compagne Hendrickje,
est due bien sûr à la
facilité de les avoir
comme modèles, mais
aussi et surtout à
l'affection et à l'amour
qui s'expriment
tout naturellement
dans ses œuvres.*

En voyant le nombre d'autoportraits
peints par Rembrandt, on ne peut
s'empêcher de se demander:
"Pourquoi autant?".
L'artiste, n'importe quel artiste,
cherche dans un portrait à decouvrir
et à représenter l'expression et le
caractère du personnage, à travers
ses traits, la profondeur de son regard
ou l'attitude des mains; chaque artiste
cherche donc au moyen de
l'autoportrait à mieux comprendre le
monde qui l'entoure à travers son
monde intérieur, à fouiller le secret de
la vie et de la mort, du bonheur et de
la douleur.
C'est pourquoi presque tous les
peintres peignent au moins une fois
leur autoportrait, en l'insérant
quelquefois dans un tableau de sujet
religieux, pour rendre hommage à la
divinité avec les autres personnages;
ou bien en le plaçant dans une œuvre
qui représente un événement
historique, pour y "participer",
souvent à côté du commanditaire; ou
pour "signer" son propre travail; cela
peut être aussi, selon sa personnalité,
une forme de complaisance ou de
mortification et de pénitence.
Mais il existe aussi toute une série de
tableaux représentant tout simplement
le portrait de l'artiste, qui permettent
de comprendre la personnalité
artistique et psychologique de
l'auteur, et d'en suivre l'évolution d'un
autoportrait à l'autre pour peu qu'il en
ait exécuté plusieurs au fil du temps.

Rembrandt est de ceux-là.
Il a raconté sa vie à travers ses
différents autoportraits qui
représentent soit le visage soit la
figure, dans le clair-obscur de la
gravure ou dans la lumière colorée
des tableaux.
Ses autoportraits marquent les
différentes étapes de sa vie et sont le
témoin d'une recherche spirituelle
difficile et dramatique, parallèle à sa
recherche artistique.
Cet autoportrait avec sa femme est
l'une des rares images où il sourit et
célèbre la vie avec une joie que
semble lui donner la présence de
Saskia assise sur ses genoux. La
somptueuse table garnie (avec le
faisan sur le plateau), les riches
costumes, la rapière et le chapeau à
plume contribuent à créer cette
atmosphère de fête.

*Les couleurs lumineuses
du vert de l'habit de
Saskia et du rouge de la
veste du peintre
ressortent sur les tons du
fond et sont mis en
valeur par le blanc du
poignet de la chemise,
qui les relie.*

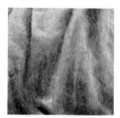

LA RONDE DE NUIT

1642 - Huile sur toile, 359x435 cm
Amsterdam, Rijksmuseum

1630

Autoportrait aux yeux épouvantés - *Eau-forte - Amsterdam, Rijksmuseum*

La ronde de nuit, le tableau le plus discuté et le plus célèbre de Rembrandt, représente le portrait de groupe d'une compagnie d'hommes d'arme (probablement la compagnie de miliciens commandée par le capitaine Franz Banning Cocq, pour célébrer la visite de Marie de Médicis, veuve d'Henri IV de France, à la ville d'Amsterdam) traité, comme c'est l'habitude chez l'artiste, d'une façon particulièrement dynamique et fantastique.

La disposition de la *Ronde de nuit* est complétement originale et constitue une nouvelle façon de concevoir le portrait collectif des milices volontaires qui jusqu'au début du XVIe siècle exigeait une disposition des figures selon un ordre hiérarchique précis. Chaque personnage devait avoir une position correspondante à son rôle et à son grade et être fidèlement ressemblant à son modèle, ce qui ôtait au peintre toute possibilité d'expression personnelle et dramatique.

Rembrandt, comme dans *La leçon d'anatomie du docteur Tulp* et plus tard dans *Les Syndics des drapiers*, crée au contraire une scène mouvementée et extrêmement suggestive, qui va au delà de la tache qu'on lui a confiée.

Qu'est-ce qui frappe et qui fascine dans cette *Ronde*?

Le mouvement de la scène: on a l'impression d'être écrasé par cette escouade qui débouche dans la rue dans une confusion joyeuse qui, à bien y regarder, révèle une distribution savante des choses et des personnes autour des deux figures principales caractérisées par leurs habits (noir avec une écharpe rouge et ocre clair avec une écharpe blanche).

La sensation de l'espace: de celui du tableau et de celui où se trouve l'observateur, dans lequel la main tendue du capitaine semble pénétrer, avec l'ombre nettement projetée sur la veste du lieutenant qui est à ses côtés.

Les couleurs: tout se joue sur les tons chauds des terres et des bruns, avec les "épisodes" du rouge de l'écharpe du capitaine et du vêtement du soldat au long fusil, sur la droite, et du blanc-ocre de la jeune-fille derrière, et de l'uniforme du lieutenant; enfin, du noir du bel habit du capitaine souligné par la fraise blanche, au centre de la composition.

La lumière: elle provient de la gauche selon la direction des ombres projetées; elle éclaire et dessine certains personnages, et rejette certains autres dans l'ombre, laissant à l'observateur le soin et le plaisir de les découvrir petit à petit, un à un.

La composition apparemment désordonnée est en réalité savamment construite selon les deux axes médians du rectangle de la toile: l'axe horizontal détermine une sorte de rideau de personnages qui sert de fond et d'appui aux deux figures principales, au premier plan, avec quatre personnages aux costumes caractéristiques qui dominent le groupe central; l'axe vertical détermine la position du capitaine avec l'habit noir et la large écharpe rouge, à côté de la figure plus petite, en blanc, du lieutenant. Les diagonales de la longue hampe et du drapeau à bandes se croisent dans le centre lumineux de la scène; enfin, le groupe de droite qui entre dans l'espace de la scène est relié au reste par la longue hampe inclinée.

PAYSAGE AU CHATEAU

1643 - Huile sur toile, 44,5x70 cm
Paris, Musée du Louvre

1631
Autoportrait avec manteau et large chapeau
- *Eau-forte* -
Amsterdam, Rijksmuseum

Vers 1640, Rembrandt s'intéresse aussi aux paysages.
L'inspiration vient de sa terre: les champs, les bois, les arbres, les petites maisons et les moulins qui entourent sa ville, sous la lumière changeante de ciels nuageux.
Quelquefois ces tableaux sont peints d'une façon très attentive et réaliste, mais le plus souvent ils sont interprétés poétiquement et dramatiquement selon l'imagination et le sentiment de l'artiste.
Dans ce paysage que l'on peut admirer au musée du Louvre, Rembrandt transforme la réalité en une vision idéale. La ligne d'horizon traverse la toile à mi-hauteur; la partie supérieure est envahie par les transparences du ciel sur lequel se détache la silhouette d'un château. Il n'y a pas de différence entre les tons de la nature et ceux de l'édifice: Rembrandt utilise des ocres, des terres, des verts, des bleus pour l'une et pour l'autre, qu'il plonge dans la transparence mouvante, presque sous-marine, d'une lumière hors du temps, universelle.
Dans les lueurs du ciel, dans la chevelure des arbres pliés par le vent, et dans le sifflement du vent que l'on a l'impression d'entendre, dans la majesté du château et dans la crainte que son isolement nous inspire, on sent que l'on est au delà de la simple expression naturaliste: à travers le paysage, l'artiste veut exprimer le drame de notre condition humaine.

Nous retrouvons le thème du paysage, très apprécié en Hollande, dans une vingtaine d'eaux-fortes de Rembrandt qui nous permettent d'apprécier toute la richesse d'expression du maître, de la description extrêmement soignée du Moulin à vent (en haut, 1641 - Londres, British Museum) à la luminosité profonde et dramatique des Trois arbres (ci-dessus, 1643 - Amsterdam, Rijksmuseum).
Dans ses gravures de paysages, Rembrandt évite les motifs fantastiques ou "romantiques". Il décrit par contre la fertilité, les grands espaces et l'atmosphère de ce plat pays qu'est la Hollande (l'horizon est toujours bas; le protagoniste est le ciel qui occupe les deux tiers de la hauteur de la feuille et s'ouvre sur les douces plaines en les enveloppant et en créant un effet d'éloignement).

LES PELERINS D'EMMAÜS

1634

Autoportrait
avec sabre
- Eau-forte -
Amsterdam,
Rijksmuseum

Le problème du rapport des lumières et des ombres est celui autour duquel tournent et se développent les recherches picturales de Rembrandt (on comprend dans ce terme celles qui se réfèrent aussi à ses gravures). La lumière devient la vraie protagoniste de chaque tableau et de chaque scène. Ce n'est pas comme chez le Caravage un moyen pour découvrir et faire sortir l'objet ou le personnage des ténèbres; ce n'est pas non plus l'ombre de Léonard de Vinci qui enveloppe et donne vie; le clair-obscur de Rembrandt est à la fois réel et symbole, sens, divinité et mystère. Rembrandt se sert de la lumière pour modeler les figures et les choses et faire chanter les couleurs; la pénombre émousse graduellement les volumes, valorisant les tons pour se transformer ensuite en une ombre puissante et veloutée qui entoure les figures et les auréole de mystère, une ombre qui semble contenir en puissance le monde entier.
La lumière devient alors symbole de l'esprit qui donne vie à la matière, par son épaisseur et par son inertie; et l'on sent dans les peintures comme dans les eaux-fortes une aspiration spirituelle plus forte que la représentation réaliste; on est troublé par le mystère des visions plus que par la forme de ces dernières.
Ce phénomène s'accentue et s'exalte dans la représentation du sujet sacré, dont ces *Pèlerins d'Emmaüs*, un

L'EAU-FORTE

L'extraordinaire "moyen artistique" que représente pour Rembrandt, le peintre, le passage des lumières triomphantes aux ombres et la merveilleuse capacité du peintre de réaliser un clair-obscur tout en nuances, deviennent essentiels chez Rembrandt, le graveur. Dans ses eaux-fortes, tout spécialement, grâce à la technique qui permet d'obtenir des ombres profondes et veloutées, et donc des lumières particulièrement suggestives. L'artiste trace son dessin avec une pointe fine sur une couche de cire qui recouvre la plaque de métal; on plonge la plaque dans l'acide et "l'eau-forte" creuse le métal le long des traits, plus

ou moins profondément selon la force du trait et la durée de la "morsure" (l'action de l'acide). La plaque, nettoyée de la couche de cire, est encrée; on y appuie une feuille de papier humide et l'on obtient de cette façon une reproduction en sens inverse du dessin gravé. Chez Rembrandt, la lumière triomphant sur les ombres prend un sens symbolique dans les eaux-fortes de sujet religieux comme celles qui sont reproduites ici: le Christ guérissant les malades (La pièce aux cent florins, 1648-1650 environ - Détail ci-dessus à gauche - Amsterdam, Rijksmuseum) et Les pèlerins d'Emmaüs (1654 - Ci-dessus à droite - Amsterdam, Rijksmuseum).

thème sur lequel Rembrandt retournera plusieurs fois et qu'il étudiera dans plusieurs gravures et dessins; cette version de 1648 est sans doute la plus réussie et la plus célèbre.
La composition laisse beaucoup d'espace au milieu dans lequel se déroule l'évènement: les figures sont assez petites puisqu'elles occupent la moitié inférieure du tableau; le reste est destiné à l'atmosphère ombreuse de la haute niche derrière le Christ. Et c'est justement cet espace, cette ampleur qui reflète et restitue le sentiment d'extase des pèlerins, et

attire le spectateur vers le halo de lumière, mystérieux et doux, qui émane du Christ.
Cette fois, la lumière ne vient pas du haut ou des côtés: elle provient de la figure du Christ, qui n'est pas au centre de la scène, mais au milieu de la grande niche. Il est entouré de personnages et l'ensemble est déplacé sur le côté pour laisser place à la brève perspective du mur de droite. Une porte s'ouvre dans le mur pour laisser entrer un jeune-homme portant un plateau, une porte par laquelle Rembrandt semble nous inviter à pénétrer dans la scène.

1634

Autoportrait avec sabre et plumet - *Eau-forte* - Amsterdam, Rijksmuseum

Danaé, 1636 (détail) - Huile sur toile, 185x203 cm - Léningrad, Musée de l'Hermitage.

Les femmes peintes par Rembrandt ont toutes les mêmes caractéristiques: elles sont belles, elles ont des proportions harmonieuses, et grâce à la transparence des tons, à leurs poses et à leurs expressions, elles sont l'image même de la chaleur de la vie. Les contemporains de l'artiste, qui lui reprochent d'évoquer une réalité banale ou trop crue, critiquent en effet ce qui fait la grandeur du maître: sa capacité de rendre le "poids", la densité des chairs et la sensation de respiration.

Dans les toiles de Rembrandt, la lumière semble toujours déferler sur la scène pour fouiller l'ombre et révéler les personnages et les objets. Dans ses œuvres de jeunesse, l'alternance entre les parties violemment éclairées et celles plongées dans l'obscurité est particulièrement forte; l'atmosphère est chargée de sens et de mystère. Dans les œuvres de la maturité, la lumière pénètre dans l'obscurité de la scène non plus pour dessiner les contours des figures et des objets, mais pour les envelopper dans une atmosphère douce et veloutée, créant une intimité mystérieuse. Mais chacune de ses œuvres est une affirmation symbolique de la lumière sur les ténèbres, une affirmation que l'on retrouve dans ses eaux-fortes (où la trame serrée des hachures qui s'entrecroisent construit, morceau par morceau, la fine texture de l'ombre) et qui les rend extraordinairement significatives et dramatiques.
Dans la *Femme au bain* (ou *Hendrickje se baignant dans une rivière*), où les couleurs de l'artiste s'éteignent dans une palette aux teintes atténuées, harmonisées sur les tons sombres des terres d'ombre et des terres brûlées, la figure semble sortir de l'ombre, dessinée par les blancs du vêtement qui colle à son corps et par les tons clairs des chairs, dans leurs différentes nuances, pour se diriger vers nous, dans une lumière spectrale

Suzanne au bain, 1637 - Huile sur toile, 47,5x39 cm - La Haye, Mauritshuis.

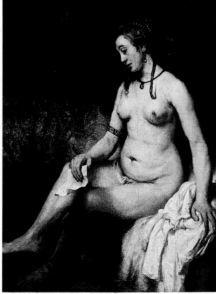

Bethsabée tenant la lettre de David, 1654 (détail) - Huile sur toile, 142x142 cm - Paris, Musée du Louvre.

qui vient du haut.
Les jaunes d'or et les rouges des vêtements posés derrière elle valorisent la simplicité de l'attitude et de son habit blanc soulevé au dessus des jambes dans un geste gracieux. Encore une fois, on est frappé par la

capacité de Rembrandt de rendre avec autant de simplicité et du naturel l'image qui le séduit et qu'il traite avec de larges empâtements lumineux comme étalés au couteau, en la faisant sortir de l'obscurité...de la réalité ou de l'imagination?

BŒUF ECORCHE

1636

Autoportrait
avec Saskia
- Eau-forte -
Londres, British
Museum

Rembrandt dessine et peint
différentes versions d'un même sujet
pour étudier les variations de lumière
et de couleur: une carcasse de bœuf,
pendue par les pattes, qui semble
exprimer dans son intensité
dramatique quelque chose de plus

qu'une simple nature morte. La femme
que l'on entrevoit sur la droite est
peut-être la femme du boucher.
Mais la protagoniste est encore et
toujours la lumière qui court sur les
chairs écorchées sortant le volume de
l'épaisseur du fond, et la couleur de
son obscurité.
Les lumières de couleur jaune, orange,
rouge, les reflets bleutés et les ombres
aux tons verdâtres ressortent sur les
tonalités ocres du fond et des bâtons
qui soutiennent l'animal. La
composition de ce tableau est
identique à celle de la version réalisée
en 1638, mais la matière picturale
s'enrichit de nouvelles irisations
lumineuses.
Quels sont les éléments qui frappent

l'observateur, devant un sujet que
Rembrandt est le premier à choisir et
qui sera repris par des peintres
modernes tels que Daumier, Soutine,
Bacon et Guttuso ?
D'une part, la fascination étrange et
particulière du sujet en lui-même: une
nature morte inhabituelle qui reprend
le thème de la caducité des choses
de ce monde et l'exprime d'une façon
particulièrement dramatique et
efficace; de l'autre, une palette
apparemment restreinte à quelques
tonalités fondamentales avec
lesquelles Rembrandt réussit à
orchestrer une composition
chromatique entièrement
basée sur la lumière et la couleur de la
lumière.

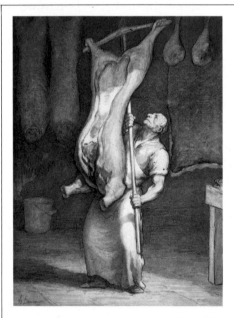

A gauche: Honoré Daumier: Le boucher, 1857 environ - Fusain, plume et
encre noire, aquarelle, 333x242 mm - Cambridge (Mass.), Harvard
University, Fogg Art Museum, Grenville L. Winthrop. Cette aquarelle est
remarquable par la sobriété des tons qui tournent autour du gris; c'est
l'absence de rouge vif qui lui donne paradoxalement cet aspect dramatique.
Daumier se montre une fois encore un témoin féroce de son temps.
Au centre: Chaïm Soutine: Le bœuf écorché, 1925 - Huile sur toile,
114x202 cm - Grenoble, Musée de Peinture et de Sculpture. Une pièce de
bœuf sanguinolente est un sujet idéal pour permettre à Soutine de
poursuivre sa recherche expressioniste. Il fait plusieurs versions, en
travaillant sur les variations de la couleur avec une touche dense de matière.

L'œuvre prend son sens aussi grâce à la force expressionniste de sa touche.
A droite: Renato Guttuso: La vucciria, 1974 - Huile sur toile, 300x300 cm -
Palermo, Università.
Dans La vucciria, le tableau qui représente une vue du vieux marché
de Palerme, Guttuso place un gros quartier de bœuf au centre de la moitié
droite de sa toile. Il ressort sur le blanc violacé des carreaux du fond, sur les
blancs-bleus des boîtes à œufs et les blancs-verts des bottes de céleris. Les
tons rouges de la viande sont séparés du reste de la composition par une
bande blanche (soulignée par une ombre obscure) qui les accorde avec les
oranges et les jaunes de la nature morte des étals qui côtoient le passage,
et, en bas, avec les gris bleus des poissons.

Rembrandt f 1655.

HENDRICKJE STOFFELS EN FLORE

1657 environ - Huile sur toile, 100x92 cm
New York, Metropolitan Museum

1638

Autoportrait avec bonnet empanaché - Eau-forte - Berlin - Dahlem, Kupferstichkabinett

Dans ses interprétations de la mythologie classique et surtout dans les costumes avec lesquels il aime peindre les membres de sa famille et lui-même, Rembrandt a recours à des motifs orientaux; c'est le cas de la parure fantastique avec laquelle il transforme son épouse Saskia en déesse Flore, 1634 - (Huile sur toile, 125x101 cm - Léningrad, Musée de l'Ermitage). Ce n'est pas par simple goût du déguisement que Rembrandt utilise une telle splendeur baroque, c'est parce qu'il veut exploiter la préciosité et le scintillement des étoffes, la magnificence et la richesse des couleurs.

A la mort de Saskia, en juin 1642, Geertje Dircks, une veuve au caractère difficile, vient gouverner la maison de Rembrandt et s'occuper du petit Titus. Mais avant même qu'elle ne quitte la grande maison de l'artiste, une jeune fille du nom d'Hendrickje Stoffels entre dans la vie de ce dernier. Elle restera à ses côtés jusqu'au bout. Rembrandt fait plusieurs portraits de sa nouvelle compagne et l'utilise aussi comme modèle dans une série de compositions. Les portraits d'Hendrickje sont remplis d'une force et d'un sentiment particuliers. Rembrandt aime représenter les personnes qui lui sont chères en personnages mythologiques ou légendaires, en les habillant de costumes antiques et en les décorant de fleurs et de fruits. Ici, il choisit une fois encore (comme il l'avait fait auparavant pour Saskia) de représenter Hendrickje sous les traits de la déesse Flore: le portrait, dans la simplicité de sa composition et la fraîcheur de l'image, révèle toute l'affection que le peintre porte à son modèle, et surtout sa volonté de rendre hommage avec la lumière et les couleurs à sa jeunesse.

Il y a dans ce tableau une sorte de réserve, un rapport nouveau avec l'espace alentour qui isole la figure hors de la réalité; le regard n'est pas tourné vers l'observateur pour l'inviter à dialoguer avec la toile, il n'y a pas de gestes animés pour exprimer les sentiments. Dans ce portrait, Rembrandt se situe face à son modèle dont le visage est de profil, les bras en position presque symétrique, le bras droit plus ouvert, le gauche en avant pour ramasser les plis du vêtement; la lumière glisse sur les plis fins de la chemise en jouant sur la richesse des manches; et surtout la lumière révèle, dans l'ombre du couvre-chef fleuri, les traits du visage décoré d'un rang de perles, au regard absorbé, comme perdu dans de lointaines pensées. Chaque élément semble se dissoudre dans l'harmonie de l'ensemble et dans les accords de couleur.

Les tons clairs de la tunique blanche et souple, toute en transparence et en volumes à peine ébauchés, se délayent sur les tons terre brûlée du fond. Elle est mise en valeur par le jaune lumineux de la jupe, couvert en partie par la main gauche en contrejour qui soulève un pan de l'habit avec un effet de premier plan. La composition, la pose, les tons des couleurs, la luminosité réussissent à créer, grâce à leur alchimie mystérieuse, une atmosphère particulière qui semble vibrer d'une émotion intime.

LES SYNDICS DES DRAPIERS

1662 - Huile sur toile, 191,5x279 cm
Amsterdam, Rijksmuseum

1639

Autoportrait
au bras appuyé
*- Eau-forte -
Amsterdam,
Rijksmuseum*

Un autre portrait de groupe, commandé par les Syndics des arts de la laine vers 1661, vingt ans après *La ronde de nuit* qui avait rompu avec les canons traditionnels des portraits officiels. Ici, Rembrandt ajoute à la transgression et à l'innovation l'expérience très riche de ces années de travail.

La toile est en effet un vrai morceau de bravoure. Il fallait un artiste de sa trempe pour affronter un thème aussi aride, aussi dépouillé, apparemment banal, avec autant d'assurance et de confiance.

Il n'y a que cinq personnages, plus un serviteur dans le fond, unis dans une sorte de complicité, qui, par leur attitude, la position de leurs mains, leurs regards dirigés vers l'observateur, nous invitent dans l'espace de la toile, d'où semble sortir l'angle de la table recouverte d'un lourd drap rouge.

Les radiographies de la peinture révèlent les recherches et les remaniements de Rembrandt, avant de réussir à fixer définitivement sa composition qui, dans son unité, ne renonce pas à la caractérisation psychologique de chaque personnage.

Les Syndics sont réunis autour d'une table pour discuter entre eux et avec nous grâce à l'artifice de l'angle perspectif de la table (en effet, le point de vue et donc l'horizon sont placés plus bas que le dessus de la table), à la disposition en demi-cercle

Dans les Régents de l'hôpital Sainte-Elisabeth (ci-dessus, 1641 - Huile sur toile, 153x252 cm - Haarlem, Frans Halsmuseum, propriété de l'hôpital), Frans Hals confirme qu'il sait lui aussi représenter les portraits collectifs en sortant des schémas traditionnels. Il est très intéressant de comparer ce tableau avec Les Syndics des drapiers de Rembrandt (à gauche).

des personnages et à l'invitation de leurs regards.

Rembrandt réussit à créer une sensation d'espace et de vie avec des moyens picturaux apparemment simples: la composition, la construction des figures, les couleurs. Sur le fond d'un mur recouvert de bois, les volumes noirs des capes s'enfoncent dans l'atmosphère, et sur le blanc des cols, les visages des Syndics ressortent dans la lumière qui les frappe de face, sous les larges bords de leurs chapeaux.

Terre de Sienne pour le fond, noir pour les capes, blanc pour les cols, tons rosés et ocres pour les visages et les perruques. Puis la scène s'illumine avec la couleur rouge chaud du tapis qui "pèse" sur le dessus de la table et sur lequel ressortent les pages éclairées d'un livre ouvert, créant un effet de profondeur exceptionnel. A l'expression des visages, au langage des yeux, à la position des figures, il faut ajouter l'attitude des mains. Le souffle de la vie passe mystérieusement sur ces cinq figures face à nous, qui sommes invités à nous asseoir autour de leur table.

Nous retrouvons dans ce tableau (reproduit à gauche en bas et à la page suivante) les diagonales typiques des toiles de Rembrandt. Elles s'accordent avec la profondeur créée par la disposition des personnages et le raccourci de la table, le point de vue étant situé plus bas que le dessus de cette dernière.

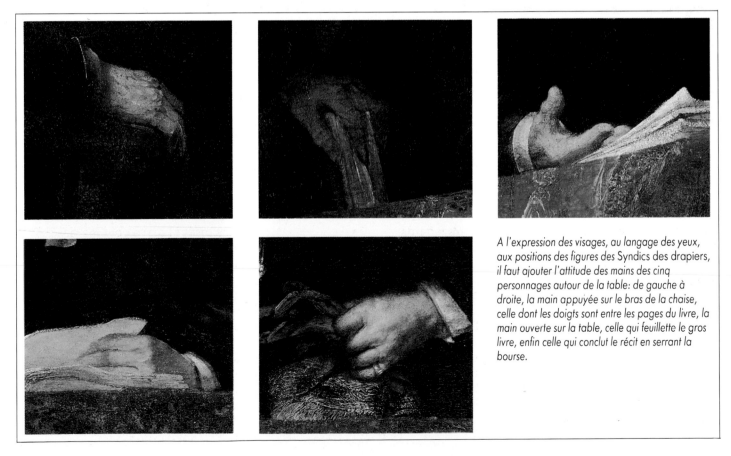

A l'expression des visages, au langage des yeux, aux positions des figures des Syndics des drapiers, il faut ajouter l'attitude des mains des cinq personnages autour de la table: de gauche à droite, la main appuyée sur le bras de la chaise, celle dont les doigts sont entre les pages du livre, la main ouverte sur la table, celle qui feuillette le gros livre, enfin celle qui conclut le récit en serrant la bourse.

LA FIANCEE JUIVE

1665 - Huile sur toile, 121,5x166,5 cm
Amsterdam, Rijksmuseum

1648

Autoportrait de
l'artiste dessinant
- Eau-forte -
Amsterdam,
Rijksmuseum

L'unité, mieux la fusion, des deux figures dans leur dialogue muet, est soulignée par la composition "bloquant" le couple dans les côtés du triangle qui le contient. La main de l'homme sur l'abdomen de la femme et celle de la femme qui l'effleure dans un geste de tendresse et de participation se trouvent au centre du tableau, et au cœur de sa signification.

On a pensé que les personnages du tableau représentaient Isaac et Rebecca, ou bien le poète juif Don Miguel de Barrios et son épouse Abigael de Piña, ou bien encore Booz et Ruth. Mais quoi qu'il en soit, la signification et la vigueur de l'œuvre résident dans la représentation d'un sentiment universel, qui rend tous les personnages équivalents; le sentiment de l'amour.

La simplicité exceptionnelle et la fraîcheur de la composition de Rembrandt réussissent à rendre l'émotion sublime et neuve de l'amour. Comment? Dans le rendu de l'atmosphère dorée et intime, presque religieuse, qui enveloppe les personnages, dans l'expression émerveillée des visages, dans le jeu des mains: la main gauche de l'homme tendrement appuyée sur l'épaule de la femme, la droite chastement placée sur son cœur; la main gauche de la femme sur celle de l'homme qui semble vouloir sentir le frémissement de la vie et de l'amour, la droite doucement appuyée sur son ventre. Il y a un air de fête dans la magnificence des costumes; il y a un air de complicité dans les visages qui pourtant ne se regardent pas, mais se penchent l'un vers l'autre, trahissant l'intensité de leurs sentiments. Rembrandt utilise essentiellement deux tons: le jaune d'or de l'habit de l'homme qui dans l'ombre prend des reflets vert-bleu, et qu'il reprend dans

les manches de la jeune fille; le rouge orangé du corsage qui devient rouge vermillon dans la riche étoffe de la jupe et sur lequel ressortent les tons chair des mains. Le fond est traité avec des terres d'ombres qui laissent entrevoir sur la droite un grand vase de fleurs.

Etude pour La grande mariée juive, 1635 environ - Plume, encre de chine et lavis brun, 241x193 mm - Stockholm, Nationalmuseum.
Dans ce dessin préparatoire d'une eau-forte, la luminosité est indiquée surtout par les différences de ton entre le trait avec lequel il dessine le visage et les cheveux, et celui avec lequel il dessine le reste. La lumière diffuse de la fenêtre contraste avec celle directe qui se projette sur les personnages.

Après 1650, Rembrandt modifie sa façon de peindre: il étale la couleur avec plus de générosité et plus de corps; les nuances sont plus accentuées, ce qui augmente l'effet de volume et de distance. Rembrandt finit par appliquer sur la toile de larges empâtements de couleur avec le couteau, exploitant la matière de la couleur, sa rugosité et sa porosité, pour augmenter la vigueur de sa texture et celle des vibrations de la lumière.

PORTRAIT DE FAMILLE

1668-69 - Huile sur toile, 126x167 cm - Braunschwieg, Staatliches Herzog Anton-Ulrich Museum

1660 environ

Autoportrait
- Dessin - Vienne,
Graphische
Sammlung Albertina

Le schéma met en évidence les deux triangles qui contiennent les figures de la composition. Ils se croisent sur la figure de l'enfant dans les bras de sa mère, qui sert de liaison avec la figure de l'homme.

Existe-t-il un secret dans les œuvres de Rembrandt, un principe qui les rend fortement suggestives, immédiatement convaincantes, presque plus vraies que la réalité? Il n'y en a pas un seul, sans doute, mais plusieurs qui donnent à ses personnages et à ses scènes une familiarité et une humanité extraordinaires tout en les plongeant dans une dimension onirique et imaginaire.

Il y a le mouvement considéré comme la manifestation de la vie et de la pensée, étroitement lié à l'émotion; il y a l'expression du visage et du corps, qui devient un élément d'unification et de dialogue muet dans les portraits collectifs; il y a la lumière, principe unificateur qui révèle et idéalise les choses et les personnes, comme un signe de la divinité et du mystère; il y a le sens de la couleur, de la matière de la couleur, qui donne vie aux chairs et substance aux objets.

Dans ce portrait d'une famille demeurée inconnue, on peut remarquer d'un côté l'aspect un peu maladroit et lourdaud de l'homme, de l'autre l'insouciance du jeu des enfants et la tendresse de la mère. La silhouette de l'homme avec sa masse sombre (adoucie par la présence d'une fleur entre ses mains) semble protéger les deux enfants qui se trouvent devant lui, tandis que la femme embrasse et caresse le tout petit enfant, image parfaite de l'amour maternel. Dans le jeu des mains de ces deux figures, nous retrouvons le même langage amoureux que nous avions déjà remarqué dans la *Fiancée Juive*, et dans leurs visages, le même sourire et la même expression rêveuse.

Mais c'est surtout par la couleur que Rembrandt semble vouloir orchestrer son hymne à l'amour, dans un crescendo totalement musical: des tons noirs de l'habit de l'homme, à l'or des vêtements des deux enfants plus âgés, au vieux rose de celui du petit dans les bras de sa mère, au rouge triomphant du somptueux habit de cette dernière. Et il n'y a pas que la couleur, mais aussi la matière de la couleur, étalée généreusement, avec une densité qui fait vibrer la lumière et avec elle, les sentiments.

LE PREMIER HERETIQUE DE LA PEINTURE

"**I**l fit ses premières preuves à Amsterdam, auprès du célèbre Lastman et en vertu de ses dons naturels, d'un labeur incessant et d'exercices continus, il arriva au point où il ne lui manqua plus rien, sauf une visite de l'Italie...lacune d'autant plus grave qu'il n'était en mesure de lire que le hollandais et donc pouvait tirer peu de profit des livres...En conséquence...il n'hésita pas à s'opposer et à contredire nos lois de l'art...la perspective, l'étude des sculptures classiques, le dessin et la judicieuse composition picturale de Raphaël. Et en faisant cela, il affirmait qu'il fallait se laisser guider par la nature seulement...".

C'est le jugement que Joachim von Sandrart porte sur Rembrandt, en 1675, six ans après sa mort. Un jugement fondamentalement correct, s'il n'était vicié par le préjudice académique de l'auteur. Il est vrai que Rembrandt était merveilleusement doué, il est vrai qu'il refusa de faire le voyage d'Italie et d'accepter la tyrannie du classicisme, il est vrai qu'il ne se laissa guider que par la nature. Et ce sont là ses grands mérites, les valeurs pour lesquelles Rembrandt est considéré comme l'un des génies de l'histoire de l'art.

Son énorme production et sa longue activité sont rythmées par les différentes étapes de son parcours intérieur et de l'évolution de son art, toujours consciemment vécu dans une solitude aigüe: un renoncement progressif à l'extérieur, au monde et à ses suggestions, pour arriver au plus profond de soi et de la vie.

Il fit plus de cent portraits qui documentent comme un journal intime en image cette ascèse picturale, cet éloignement mystique du monde et des choses. Un éloignement qui se manifeste dans l'abandon graduel des sujets et des thèmes, pour se concentrer sur une unique, vertigineuse interrogation sur l'homme et son destin. C'était une hérésie dans cette Hollande du XVIIe siècle, où la peinture était hautement spécialisée, où il y avait des peintres de natures mortes, de portraits, de scènes de genre, de paysages, ou bien de tableaux commémoratifs, et où ceux qui se consacraient à

REMBRANDT ET SON TEMPS

	SA VIE ET SON ŒUVRE	L'HISTOIRE	LES ARTS ET LA CULTURE
1606	Il naît à Leyde en Hollande	Henri IV est sur le trône de France depuis dix-sept ans Comme le reste de l'Europe, les Pays-Bas sont déchirés par la lutte du catholicisme contre le protestantisme	Naissance de P. Corneille Construction de la Place Royale à Paris P.P. Rubens: *Portrait de Brigitte Spinola* W. Shakespeare: *Le roi Lear* et *Cléopâtre*
1624	Après un apprentissage chez Jacob van Swanenburg, il complète ses études chez Pieter Lastman	Richelieu devient ministre de Louis XIII L'Europe en pleine guerre de Trente ans, commencée en 1618. Le Danemark protestant entre dans le conflit	Honoré d'Urfé: IVe partie de *L'Astrée* Le Bernin commence le colossal *Baldaquin de Saint Pierre*
1625	Il fonde son propre atelier à Leyde	Missions jésuites françaises au Canada Alliance franco-anglaise avec le mariage d'Henriette de France à Charles Ie d'Angleterre	Le poète Théophile de Viau condamné au bannissement pour impiété Le salon de l'Hôtel de Rambouillet est au sommet de son influence littéraire Hugo Grotius établit le "droit des gens" dans son *De Jure belli ac pacis*
1632	Il se fixe à Amsterdam où il ouvre un nouvel atelier. *La leçon d'anatomie du docteur Tulp*	Mort du roi protestant Gustave II Adolphe de Suède Mort de Tilly, le général belge à la tête de la Sainte Ligue contre les protestants	Naissance de John Locke Naissance de B. Spinoza
1634	Il épouse le 22 juin Saskia van Uylenburch	Saint Vincent de Paul crée l'ordre des Filles de la Charité Bataille de Nordlingen où la Suède perd l'Allemagne du sud	Fondation de l'Académie Française Naissance de Mme de la Fayette Borromini: couvent et église *Saint Charles-aux-quatre-fontaines* Zurbaran décore le Buen Retiro à Madrid
1641	Naissance de son fils Titus	L'Inquisition condamne l'*Augustinus* de Jansenius Déclin de la dynastie Ming en Chine qui sera renversée par les Mandchous en 44	Mort de Van Dyck L. Le Nain: *La Charette* F. Hals: *Les Régents de l'hôpital Sainte-Elisabeth*
1642	Son épouse meurt. *La compagnie du Capitaine Cock* ou *La ronde de nuit*	Mort de Richelieu auquel succèdera Mazarin Guerre civile entre la Couronne britannique et le Parlement	Corneille: *Polyeucte* Monteverdi: *Le couronnement de Poppée* Mort de Galilée

la peinture religieuse, aux sources bibliques et évangéliques, étaient rares.

LA PHASE BAROQUE

Rembrandt commence lui aussi comme "illustrateur", selon le style et la manière de son maître Lastman. C'est ce que l'on appelle sa "phase baroque": des scènes animées, dramatiques, où la lumière habille les formes, exalte les couleurs, vibre dans le mouvement.

Les tableaux de cette époque ont beaucoup de succès; ses portraits en ont encore plus. Rembrandt s'y révèle un maître inégalable par sa puissance d'expression et sa pénétration psychologique. Il n'a pas étudié Raphaël, c'est vrai, mais son habileté est au moins aussi grande que celle des grands Italiens du XVIe siècle, Titien, le Tintoret...et il a bien assimilé la leçon du Caravage: luminisme, réalisme, intensité dramatique.

Il a un goût marqué, dès ses débuts, pour les costumes, pour le déguisement des figures et des lieux, qui plongent la scène biblique ou évangélique dans de mystérieux et fastueux décors de style oriental. Sa technique est encore unie, fignolée, les couleurs s'harmonisent dans une parfaite unité d'ensemble.

Dès le départ, il ne fait pas de natures mortes ni de scènes de genre, et encore moins de nus classiques ou mythologiques. Au contraire, lorsqu'il peint une femme nue, il le fait avec un réalisme tellement impitoyable qu'il va jusqu'à reproduire "les signes du buste sur les hanches et des jarretières sur les jambes..."(Andreis Pels, 1681). Son anti-classicisme est à son comble dans le *Rapt de Ganymède* de 1635 où le superbe adolescent de la tradition enlevé par l'aigle-Jupiter est ici un enfant gras et hurlant qui pisse de peur!

Rembrandt peint donc d'un côté les grandes commandes publiques, dont la gigantesque *Ronde de nuit* de 1642 qui fait dire au critique Samuel van Hoogstraten (qui fut son élève): "...j'ai la conviction qu'elle survivra aux œuvres rivales, puisqu'elle

1648	*Les pèlerins d'Emmaüs, Portrait de Hendrickje au lit*	Traité de la Haye par lequel l'Espagne reconnaît la nouvelle république des Pays-Bas. Début de l'hégémonie hollandaise sur les mers Fin de la guerre de Trente ans avec la Paix de Westphalie	Mort de Voiture
1649	Hendrickje Stoffels vient tenir la maison de Rembrandt. *La gravure aux cent florins*	Exécution de Charles I d'Angleterre après la victoire de Cromwell Fronde parlementaire en France Fondation de Bahia par les Portuguais	Descartes: *Traité des Passions de l'âme* Scarron commence *Le Virgile travesti*
1654	Naissance de sa fille Cornelia. *Bethsabée tenant la lettre de David, Portrait de Jan Six*	Fin de la première guerre anglo-hollandaise et début de la guerre anglo-espagnole La France occupe l'île Bourbon (la Réunion) pour protéger ses routes maritimes	Mlle de Scudéry commence la publication de *Clélie* (dix tomes)
1655	*Le bœuf écorché, Femme au bain*	Les Anglais prennent la Jamaïque à l'Espagne	Mort du peintre Le Sueur J. Vermeer commence la *Femme endormie*
1656	Très endetté, il veut passer la maison au nom de son fils, mais les créanciers lui font un procès. *La leçon d'anatomie du docteur Joan Deyman*	Victoire de la Pologne attaquée par les troupes de Charles X Gustave de Suède	Pascal: *Les Provinciales*, écrites à Port Royal Vélasquez: *Les Ménines*
1660	Hendrickje et Titus organisent une association de vente d'objets d'art pour le sauver des enchères. *L'artiste à un âge avancé*	Restauration des Stuart: Charles II sur le trône d'Angleterre Charles XI monte sur le trône de Suède	Molière: *Sganarelle* N. Poussin commence la série des *Quatre Saisons* J. Vermeer termine sa *Vue de Delft*
1661	Il commence *Les Syndics des drapiers* *Le serment des Bataves*	Louis XIV prend le pouvoir après la mort de Mazarin	Bossuet: *Le Carême des Carmélites* J.B. Lulli surintendant de la musique de Louis XIV
1663	Hendrickje meurt et lui laisse l'usufruit des biens de sa fille.	Fondation de la colonie de la Nouvelle France, avec pour capitale Quebec, dans le Canada occidental	Charles Le Brun exécute la décoration de la Galerie d'Apollon au Louvre
1669	Il meurt à Amsterdam, un an après son fils Titus qui venait de se marier l'année précédente	Ordonnance des Eaux et Forêts (le roi est "propriétaire éminent" des terres du royaume) Newton: télescope à miroir	Racine: *Britannicus* La Fontaine: *Psyché* Boileau commence son *Art poétique*

fait en sorte que toutes les autres peintures exposées ressemblent à des cartes de jeu". De l'autre, il se plonge de plus en plus dans le monde de la Bible et de l'Evangile et réalise des œuvres qui souvent ne lui ont pas été commandées, mais répondent à son besoin de s'interroger sur le destin et le salut.

A TRAVERS LA MEDITATION BIBLIQUE

Dans ses balades à travers Amsterdam à la recherche de bric-à-brac ou de précieux objets d'art, il rencontre souvent le grand rabin Samuel Menasseh Ben Israel, dont la culture biblique est immense. Il lit et discute les écritures avec lui et cherche un lien entre la Bible et l'Evangile. Des érudits plongés dans des livres, des philosophes antiques en méditation peuplent alors ses toiles; il peint aussi des scènes profanes qui cachent une signification religieuse comme l'*Autoportrait avec Saskia* qui est en réalité une allusion au fils prodigue, et la magnifique *Fiancée juive* (1665) qui représente probablement l'union d'un grand couple biblique (Isaac et Rebecca ou Booz et Ruth).

La fréquentation du ghetto d'Amsterdam lui inspire les fabuleux costumes de ses héroïnes sacrées et les décors qui matérialisent la magnificence biblique. Elle lui inspire aussi des attitudes et des types humains qui deviennent de plus en plus sobres, de plus en plus mélancoliques, de plus en plus douloureux.

Chez Rembrandt, la lecture et la méditation biblique deviennent image, figure: "Le tourment toujours renouvelé, le mal intime des Israélites ne s'expriment que dans l'œuvre de Rembrandt...Le pathos immortel des Livres saints revit en lui et il révèle les faits de l'Evangile avec un accent qui n'est ni catholique apostolique romain, ni protestant, mais plutôt celui d'un homme qui voit clairement...la continuité entre Abraham, Jacob et le Christ" (Lamberto Vitali, 1970).

Et sa peinture change: à l'harmonieuse unité des années de jeunesse, à la fusion de la lumière et de la couleur, à l'allégresse des visages succèdent des ombres toujours plus intenses; la couleur devient rare, les touches sont séparées, le clair-obscur n'habille plus les formes, mais les absorbe et la lumière ne vient plus d'une source: elle émane des figures mêmes, qui sont enveloppées dans une sorte de voile doré. Dans les portraits, la ressemblance est presque niée par la mélancolie des regards, par l'absence de confiance en soi et dans le rôle que l'on a à jouer dans le monde qu'ils expriment; comme si Rembrandt cherchait dans les visages des autres la face cachée, secrète et douloureuse de l'Homme.

Quant au paysage, genre particulièrement aimé dans la Hollande de l'époque, Rembrandt s'y consacre pendant quelques années, mais il peint des paysages tourmentés et traversés par la lumière soudaine d'un éclair ou la fureur du vent: rien de semblable aux images légères des italianisants ou des hollandais traditionnels, remplis de figurines et d'activités insouciantes. La fameuse eau-forte aux *Trois arbres* ressemble plus à un calvaire qu'à un paysage.

Rembrandt ne peint pas de nature morte, on l'a dit, sauf une, dans laquelle sa sensibilité visionnaire et tragique explose avec force: le *Bœuf écorché*, image atroce d'un sacrifice domestique, qui scandalisa ses contemporains et devint au XXe siècle l'obsession des grands réalistes "sans école" comme Chaïm Soutine et Francis Bacon...

L'"EXTRAVAGANCE" DE LA MATURITE

Le Rembrandt de la maturité et de la vieillesse déconcerte ses contemporains qui n'arrivent pas à comprendre pourquoi un peintre si habile et si adulé fait des choses si étranges et si désagréables. Dans son traité sur le *Commencement et progrès dans l'art de graver le cuivre*, l'italien Filippo Baldinucci, contraint de s'occuper de Rembrandt dont l'œuvre graphique est immense dans tous les sens du terme, affirme, qu' "...il se fit une manière entièrement à lui, faite d'une série de coups rudes et répétés, avec force obscurs, mais sans obscur profond... A l'extravagance de sa manière s'associait chez Rembrandt celle de sa façon de vivre, parce qu'il était un humoriste de première classe, et méprisait tout le monde ...".

Pour Baldinucci, au goût académique et classique, l'individualité psychologique des portraits de Rembrandt était de la caricature, l'originalité des décors et des costumes la manie de celui qui "visitait souvent les enchères publiques et y achetait des habits d'usage démodé et humble, pourvu qu'ils lui semblassent bizarres et pittoresques".

Le texte de Baldinucci date de 1686: malgré la défense, partielle disons-le, de critiques comme Roger de Piles ("... l'habileté de ce peintre ne devait rien au hasard, car il était le maître de ses couleurs et il possédait l'art en maître ...",1699), un long oubli commence pour Rembrandt, comme d'ailleurs pour Vermeer de Delft, mort en 1675 et "redécouvert" par Proust en personne au début du XXe siècle. L'obscurité de Rembrandt sera un peu moins longue: au début du XIXe siècle déjà, Goya se montre son héritier direct, dans les formes comme dans la profondeur visionnaire; et en 1851, Eugène Delacroix confie dans son journal, à la date du 16 juin, que l'on arrivera peut-être un jour à découvrir que Rembrandt est un peintre beaucoup plus grand que Raphaël...

Ce Raphaël dont la "composition judicieuse" a servi à Sandrart pour condamner l'art de Rembrandt!

"Cet homme d'aspect vulgaire, de caractère ombrageux, déréglé dans la vie... en art est un visionnaire, un rêveur, un des plus authentiques poètes que les différentes civilisations artistiques aient connu..." (Paolo d'Ancona, 1952).